MAQUETTE DE COUVERTURE :
PHILIPPE BERRY

IMPRIMÉ PAR
PRINTER INDUSTRIA GRAFICA SA PROVENZA, 388 BARCELONA
SANT VICENÇ DELS HORTS, 1983

DÉPÔT LÉGAL : NOVEMBRE 1983
DIFFUSÉ PAR B. DIFFUSION
40, BD. ST. GERMAIN

I.S.B.N. 2.901076-09-2
D.L.B. 34588-1983
IMPRIMÉ EN ESPAGNE

CLAIRE BRETECHER

le destin de Monique

EDITÉ PAR L'AUTEUR

Je croyais que tu avais promis de ne plus l'amener
elle va être très sage, hein Lucienne?

Ça ne fait rien... l'essentiel est que tu sois là mon ange

Viens amour viens amour
voyons poussin pas de gestes devant l'enfant!
1

Lucienne fais tes exercices d'éveil, tu sais que demain tu as un contrôle
SPROUITCH
COLLE CONTACT NEOPRENE
SNIFF
SNIFF SNIFF
SNIFF
SNIFF
SNIFF
SNIFF
SNIFF
SNIFF
SNIFF
SNIFF
SNIFF
SNIFF
SNIFF
oui OUI oui
oui oui oui
oui
CHHT

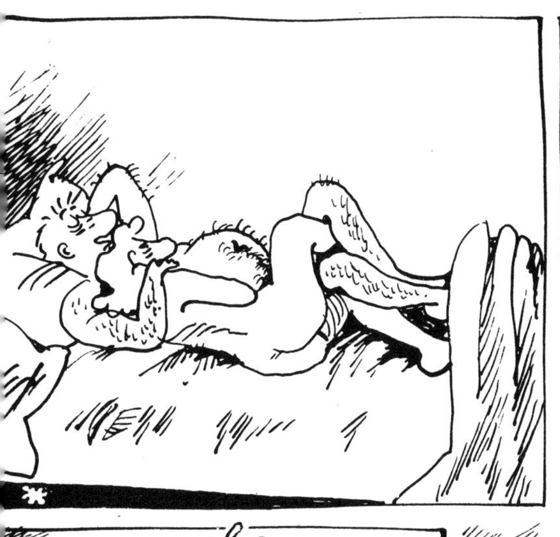

Boubou?

cette fois tu m'as peut-être fait un enfant

ah non ça ne va pas recommencer

mais Théo je veux un enfant de toi!
pas question!

trois mômes de deux mères différentes, tu crois que je n'ai pas assez de problèmes?
et alors?

si tu as fait trois débiles à deux tarées tu peux m'en faire un à moi non?
je te prie d'être correcte avec Yvette et Simone

Brigitte écoute-moi
JE VEUX UN ENFANT!

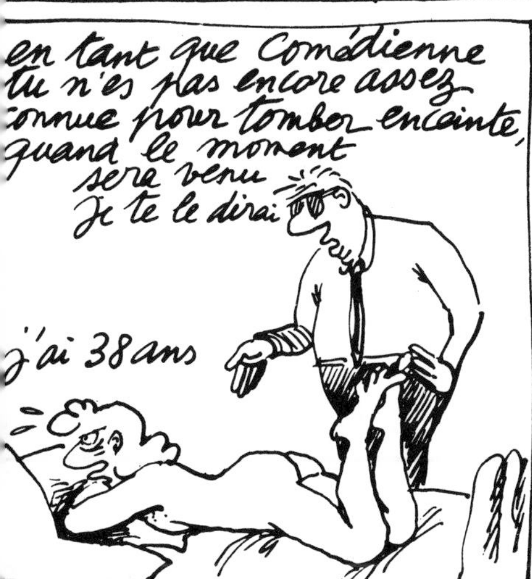
en tant que comédienne tu n'es pas encore assez connue pour tomber enceinte, quand le moment sera venu je te le dirai
j'ai 38 ans

tu as tout le temps, je suis ton agent et ta carrière m'importe beaucoup crois-moi

je peux t'en faire un dans le dos tu sais!
ça suffit comme ça, je m'en vais
3

c'est ça
fous le camp
et emmène ta pisseuse
je l'ai assez vue !
CHT

on s'appelle demain,
tu seras calmée
j'espère

tu as fait
ton éveil,
Lucienne...
...pendant qu
je jouais au
échecs ave
Brigi

FELIX POTIN

FELIX POTIN

FELIX POTIN

VRRRRR

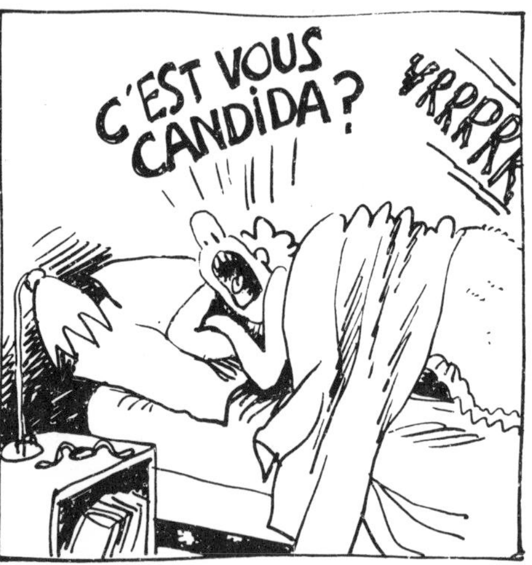
C'EST VOUS CANDIDA ?
VRRRRR

TCHÉ MOI
MAME LÉMERTCHIER
VRRRRR
RRR

ça va
Candida ?

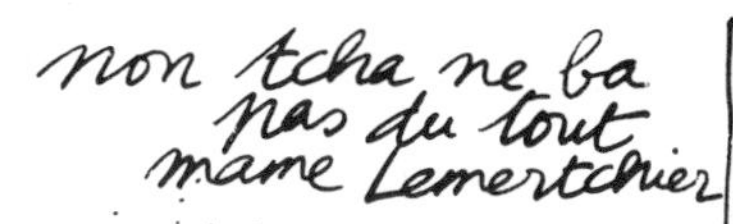
non tcha ne ba
pas du tout
mame Lemertchier

yé lé oune boule
dans mon sein
dépouis oune
semaine...
régardez
meuh non
Candida
vous n'avez pas
de
boule

yé lé oune boule
ame Lémertchier...
tâtez !
une
boule ?

y a pas
oune
boule ?
c'est rien
c'est une
petite
boule

quatre fois qué yé fais
des analyses al lavoratovie
pour qué lé doctor mé donne
des antiviotiques... et cé matin
dos hores al
commisariat

pour mon permis
dé trabatch qué
débiennent très très dours
vec les
trangers
Candida
je sors

et vous tcha ba
mame
Lemertchier ?
ça va
très bien

ma
tcha pas
l'air !
je sors
deux minutes

é sérai partie, yi po pas
ester plous d'oune hore
orque lé fillol de
ma belle-sor est
à l'hopital et...

5

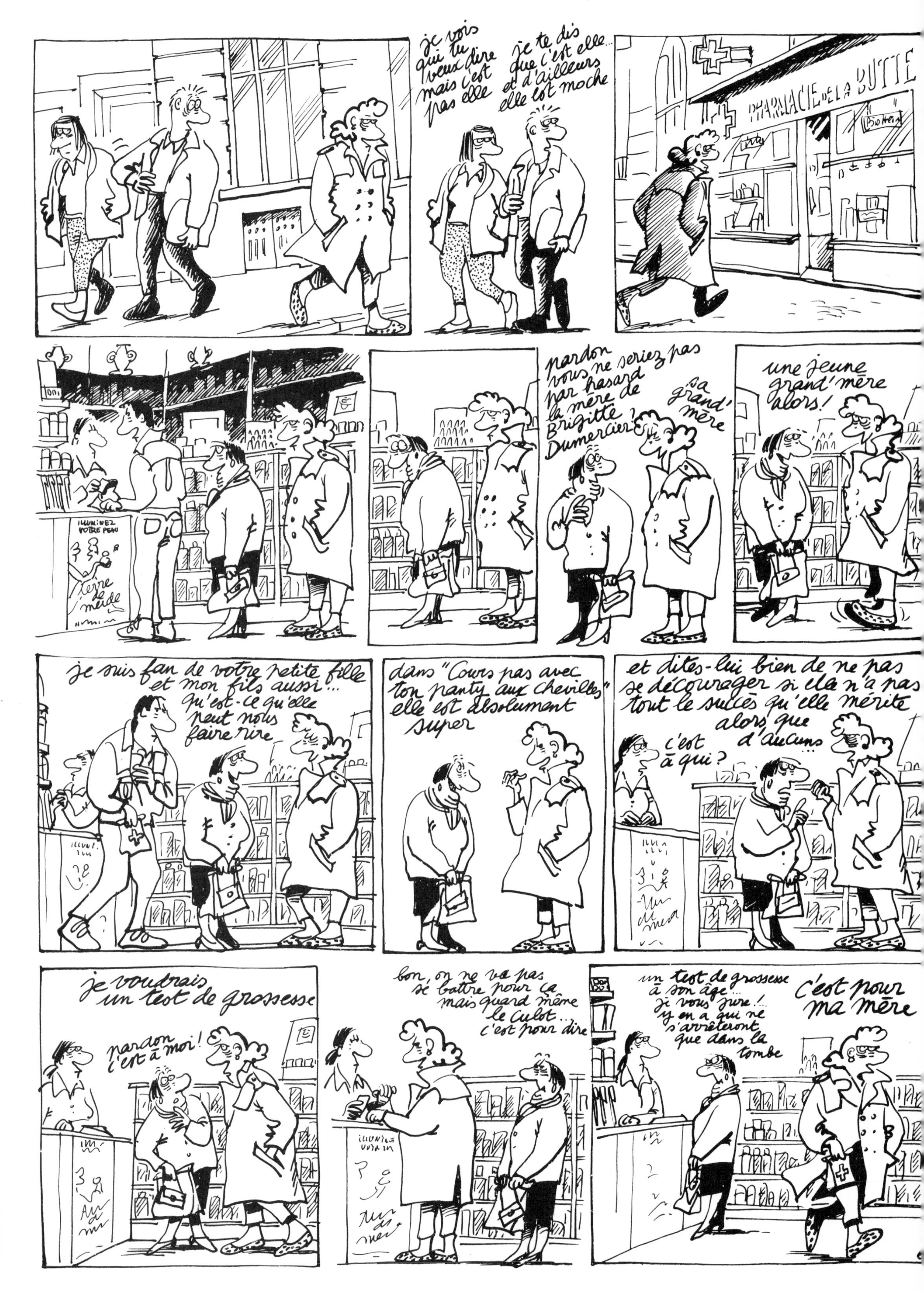

PHARMACIE DE LA BUTTE
je vois qui tu veux dire mais c'est pas elle
je te dis que c'est elle... et d'ailleurs elle est moche
pardon vous ne seriez pas par hasard la mère de Brigitte Dumercier?
sa grand'mère
une jeune grand'mère alors!
je suis fan de votre petite fille et mon fils aussi...
qu'est-ce qu'elle peut nous faire rire
dans "Cours pas avec ton panty aux chevilles" elle est absolument super
et dites-lui bien de ne pas se décourager si elle n'a pas tout le succès qu'elle mérite alors que d'aucuns...
c'est à qui?
je voudrais un test de grossesse
pardon c'est à moi!
bon, on ne va pas se battre pour ça mais quand même le culot... c'est pour dire
un test de grossesse à son âge... je vous jure! y en a qui ne s'arrêteront que dans la tombe
c'est pour ma mère

Test Réponse
β
Diagnostic précoce degrossese

allo Micheline c'est Bri...

alors e e e bonjour c'est Brigitte e e e j'ai une nouvelle fantastique à t'annoncer rappelle-moi

allo c'est Jos...?

c'est Brigitte ça fait rien salut

RRRRRRRR

ah c'est toi mon ange...
une nouvelle?
moi aussi j'ai une nouvelle
mais je ne sais pas si je vais te la dire
ça va t'énerver

h bien moi je te dis
a mienne : je t'ai décroché
le rôle principal
u prochain
Zidi
c'est pas joli?
qu'est-ce qu'on dit à Theo?

GÉNIAL
c'est mon trigone Mars-Neptune et mon Mercure en maison solaire 6...
on me l'avait dit, je ne voulais pas le croire
tout m'arrive en même temps

10 semaines de tournage... je t'ai obtenu 1 million
merci Theo

avec le scénar
le Marguerite Yourcenar
ça va faire du bruit...
l'Allemagne et le Japon ont déjà acheté

arrête c'est trop... je meurs
le tournage est quand?

fin février début mars 84

eh bien quoi?

BRIGITTE QU'EST-CE QU'IL YA?

8

dis donc... il y a des scènes nues ?

non, pas de scènes nues ?
bon
alors je pourrais peut-être ...

en string ?
oui je sais en string c'est pas nue, merci
tu te paies ma tête ?

ce n'est pas une crise de pudeu
nom de dieu !
ah je t'en prie hein
en strin
toi-mêm

BIEN SÛR JE SUIS FOLLE DE JOIE TU PENSES
MAIS OUI JE TE DIS MERCI
OH FOUS-MOI LA PAIX, ON SE RAPPELLE
CLAC

MAIS ELLES M'ÉNERVENT À LA FIN MAIS QU'EST CE QU'ELLES VEULENT
POUR QUI ELLES SE PRENNENT
CLAC

ET TOI NE T'AVISE JAMAIS DE VOULOIR FAIRE DU CINÉMA TU ENTENDS, OU JE T'ÉCORCHE LES FESSES

je veux ce rôle et je l'aurai

je veux cet enfant et je l'aurai

c'est mon enfant personne ne m
l'enlèvera

c'est mon enfant personne ne me l'enlè-vera

c'est MON enfant personne ne me l'enlè-vera

c'est mon enFANT perSONNE ne me l'enlèvera

tcha ba mame Lémortchier?
STODRIX

moi tcha né ba pas dou tout
yé po pas rester plous d'ouné hore
qué me fa mal la stomac
mon beau-père lé débait prêter 5 millions...
STODRIX

our finir dé constrouire
a mazon et maintenant
é dit lé prête à
a belle-sor
ué lé oune
raie
alope
qué cé à bous dégoûter dé trabatcher

dépouis hiar yé plore yé plore
Candide je suis enceinte

bous êtes contente
mame
émertchier?

et Monsieur... euh... lé papa... lé content?

potêtre bolez pas lé garder?

qu'est ce que vous faites Candida dans les mois qui viennent?
ma...

... yé ba al Portougal pour les bacances comme d'havitoude
ah

Candida voulez-vous porter mon enfant à ma place?
10

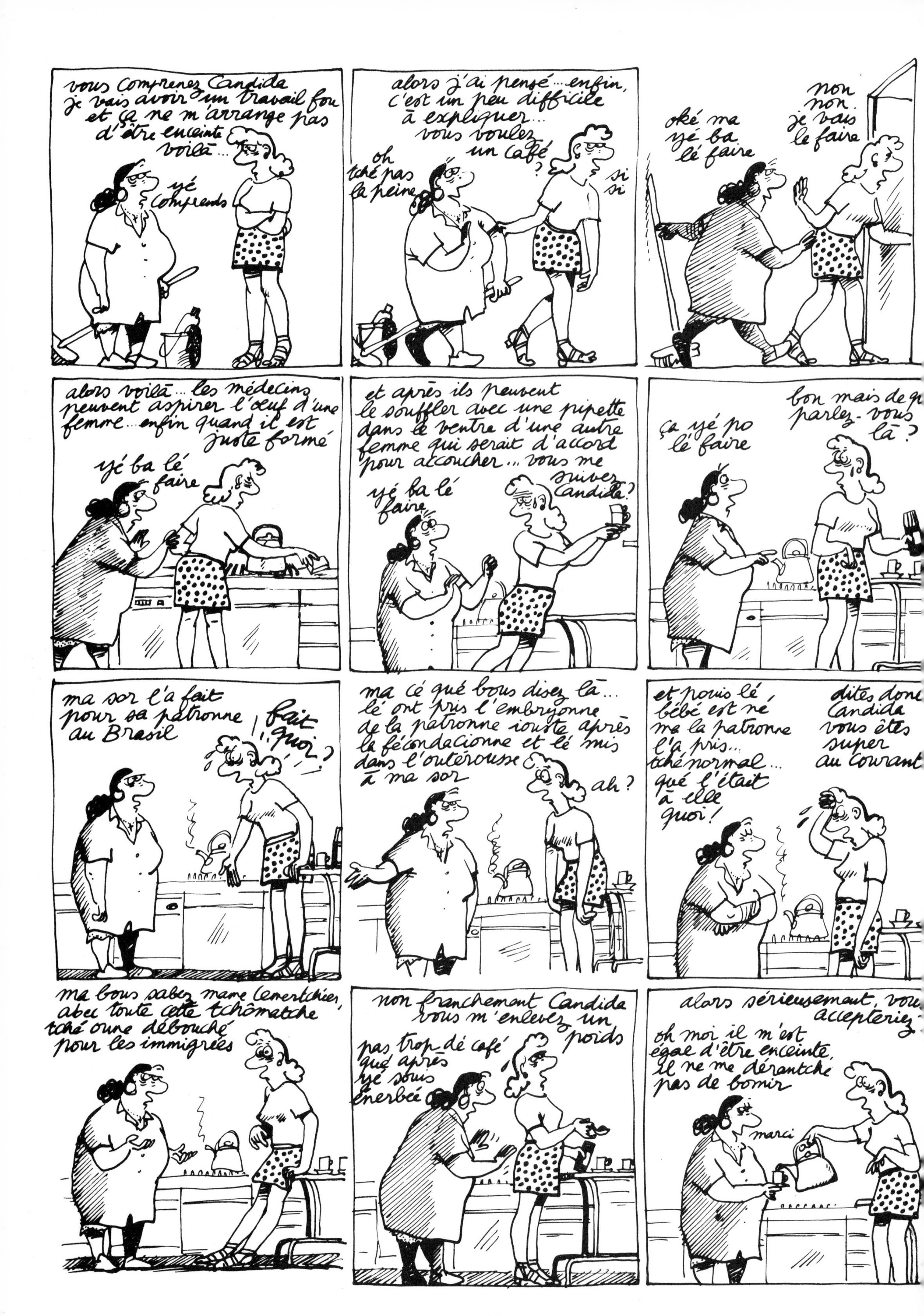
vous comprenez Candida je vais avoir un travail fou et ça ne m'arrange pas d'être enceinte voilà…
yé comprends
alors j'ai pensé… enfin, c'est un peu difficile à expliquer… vous voulez un café ?
oh tché pas la peine
si si
oké ma yé ba lé faire
non non je vais le faire
alors voilà… les médecins peuvent aspirer l'oeuf d'une femme… enfin quand il est juste formé
yé ba lé faire
et après ils peuvent le souffler avec une pipette dans le ventre d'une autre femme qui serait d'accord pour accoucher… vous me suivez Candida ?
yé ba lé faire
ça yé po lé faire
bon mais de qu… parlez-vous là ?
ma sor l'a fait pour sa patronne au Brasil
fait quoi ?
ma cé qué bous disez là… lé ont pris l'embryonne de la patronne iouste après la fécondacionne et lé mis dans l'outérousse à ma sor
ah ?
et pouis lé bébé est né ma la patronne l'a pris… tché normal… qué l'était à elle quoi !
dites donc Candida vous êtes super au courant
ma bous sabez mame Lemertchier, abec toute cette tchômatche tché oune débouché pour les immigrées
non franchement Candida vous m'enlevez un poids
pas trop dé café qué après yé souis énerbée
alors sérieusement, vou… accepteriez…
oh moi il m'est égal d'être enceinte, il ne me dérantche pas de bomir
marci

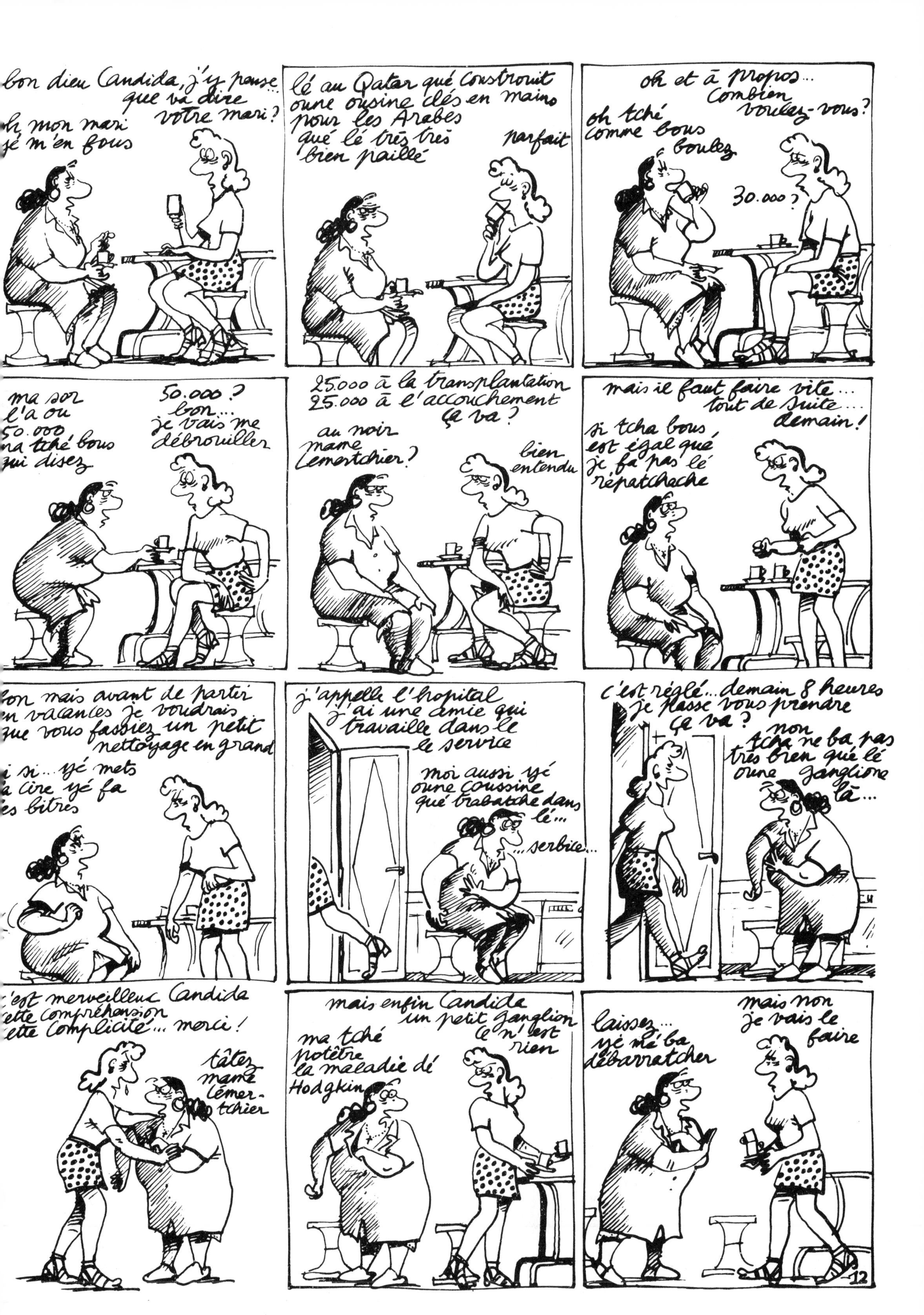
bon dieu Candida, j'y pense... que va dire votre mari?
oh mon mari jé m'en fous
lé au Qatar qué construit oune ousine clés en mains pour les Arabes qué lé très très bien paillé
parfait
oh et à propos... combien voulez-vous?
oh tché comme bous boulez
30.000?
ma sor l'a ou 50.000 ma tché bous qui disez
50.000? bon... je vais me débrouiller
25.000 à la transplantation 25.000 à l'accouchement ça va?
au noir mame Lemertchier?
bien entendu
mais il faut faire vite... tout de suite... demain!
si tcha bous est égal qué jé fa pas lé répatchache
bon mais avant de partir en vacances je voudrais que vous fassiez un petit nettoyage en grand
si si... yé mets la cire yé fa les bitres
j'appelle l'hopital j'ai une amie qui travaille dans le service
moi aussi yé oune coussine qué trabatche dans lé...
...serbice...
c'est réglé... demain 8 heures je passe vous prendre ça va?
non tcha ne ba pas très bien qué lé oune ganglione là...
c'est merveilleux Candida cette compréhension cette complicité... merci!
tâtez mame Lémertchier
mais enfin Candida un petit ganglion ce n'est rien
ma tché potètre la maladie dé Hodgkin
laissez... yé mé ba débarratcher
mais non je vais le faire
12

CHU
JULIO IGLESIAS
CENTRE DE TRANSFERT FOETAL SERVICE DE Mr le Pr BELLOEUF CONSULT. DE 9 à 12h 14 à 18h
FACIFRIX

j'ai l'argent dans mon sac Candida je vous le donne dans la voiture
tché comme bous boulez mame Lemertchier ma tch'est pas prèché

marci mame Lémertchier ma quand même

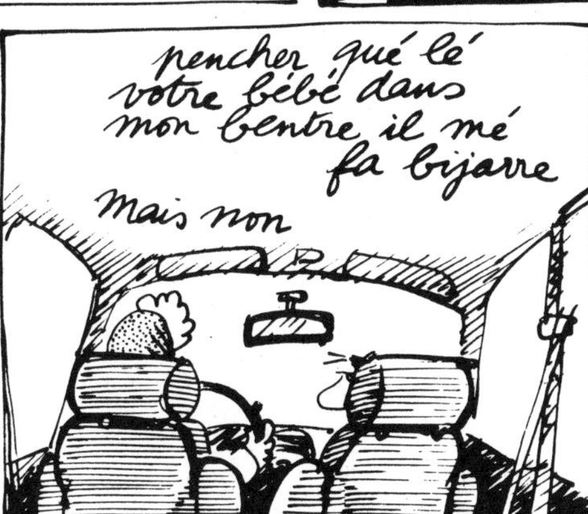
pencher qué lé votre bébé dans mon bentre il mé fa bijarre
mais non

yé crois qué yé ba aboir mal au cor
c'est dans la tête

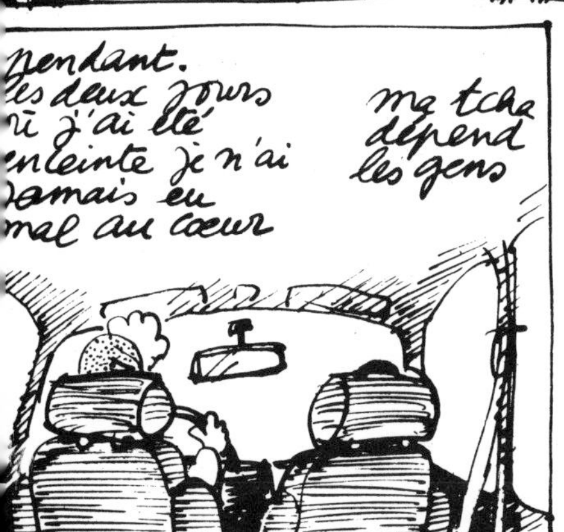
pendant. les deux jours où j'ai été enceinte je n'ai jamais eu mal au cœur
ma tcha dépend les gens

possible s'arrêter oune minoute là ?... bite !

tché bon signe mame Lémertchier... ça proube qué lé foetousse il prende

TSAAAA

tcha tché normal qué les hormones elles tombent
13

plorer il baut pas lé coup!... ténez... oune placé iousté débant tchez moi... bénez donc prendre oune pétite porto

tché oune porto qué lé fa mon père
au noir

bous allez boir qué l'est bonne
puis-je avoir un peu de porto maman?

iouste oune goutte alors Bictoria
merci maman
à la bôtre mame lémertchier
SLURP

ah si... lé dou choichante-dijouite lé oune po forte
GASP

bon dieu Candida vous ne pouvez pa boire ça!
ma porque?

enfin vous êtes... je veux dire dans votre état c'est inconcevable ça fait au moins 90°
HA HA

lé porto dé mon père lé bonne, pour tout! tché comme ça que lé fa mé 3 enfants... lé donne dou lait! hein Bictoria?
je ne m'en souviens pas maman

tout de même Candida promettez-m de ne pas faire d'excès
écoutez mame lémertchier

dans botre état... yé bo dire dans mon état faut pas bous trecatcher qué dans houit mois botre bébé l'en pleine forme yé lé joure
Candida vous êtes une mère pour moi

c'est vrai je vous adore... vous venez faire les vitres demain?
jo po pas dire mame lémertchier yé crois qué yé bais être fatiguée

alors si je ne vous revois pas, prenez bien soin de vous Candida pendant les vacances
bous aussi mame lémertchier

HIPS

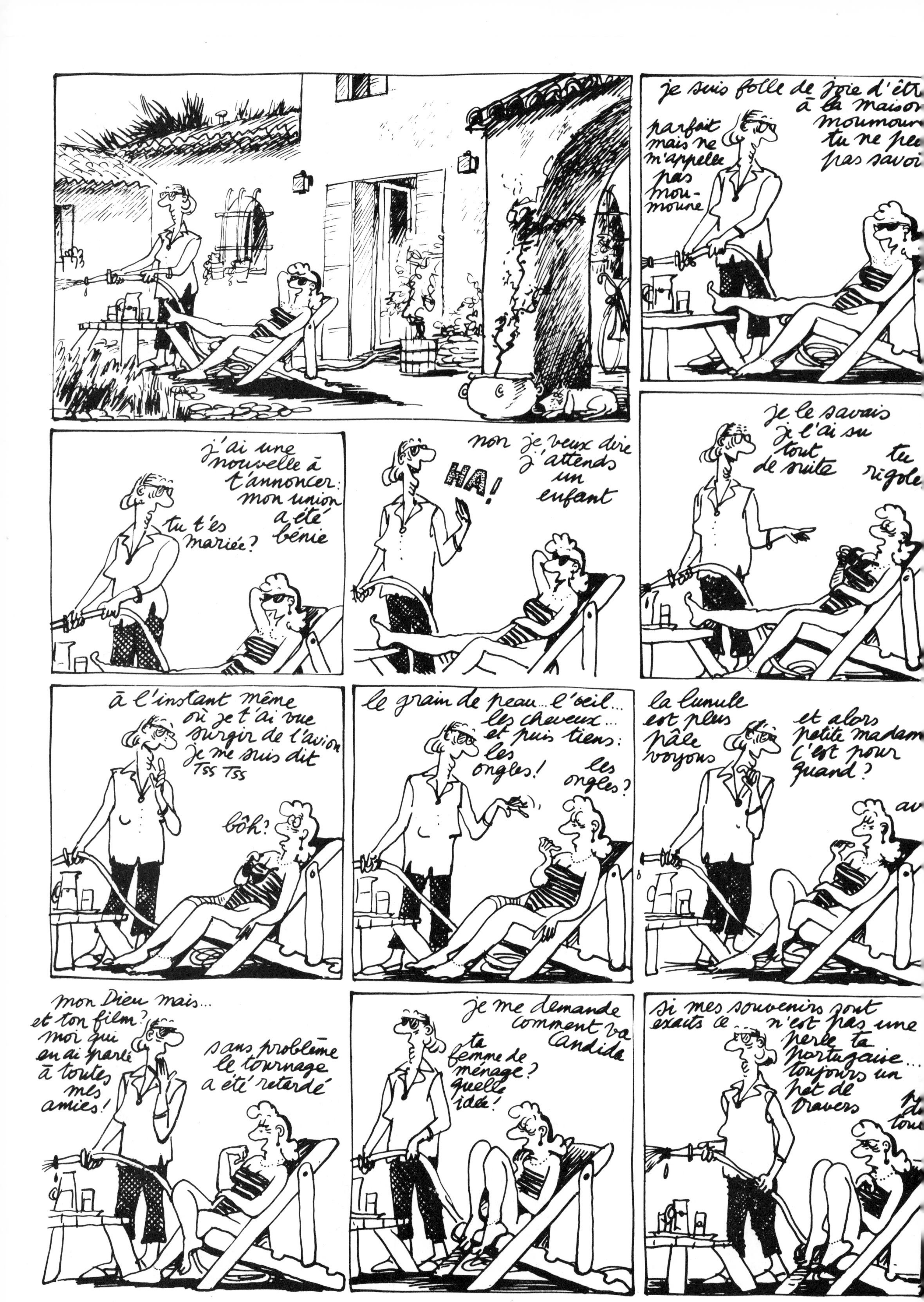
je suis folle de joie d'êtr à la maison moumoun tu ne pe pas savoi
parfait mais ne m'appelle pas mou-moune
j'ai une nouvelle à t'annoncer: mon union a été bénie
tu t'es mariée?
HA!
non je veux dire j'attends un enfant
je le savais je l'ai su tout de suite
tu rigole
à l'instant même où je t'ai vue surgir de l'avion je me suis dit Tss Tss
bôh?
le grain de peau... l'oeil... les cheveux... et puis tiens: les ongles!
les ongles?
la lunule est plus pâle voyons
et alors petite madam c'est pour quand?
mon Dieu mais... et ton film? moi qui en ai parlé à toutes mes amies!
sans problème le tournage a été retardé
je me demande comment va Candida
ta femme de ménage? quelle idée!
si mes souvenirs sont exacts ce n'est pas une perle ta portugaise... toujours un pet de travers

h écoute la dernière fois
ue je suis montée à Paris
était un jour les reins
le lendemain
les ovaires
le surlendemain
la gorge...
elle est très bien

comme tu voudras...
parlons plutôt de toi:
as-tu commencé
la préparation à
l'accouchement?
non

tu as tort! encore qu'à ton
âge la meilleure solution
soit sans doute la
péridurale... est-ce
qu'on entend
son
coeur?
mais
non
c'est
trop
tôt

u n'y connais rien
'ai entendu battre le coeur
de Jacob avant
a propre mère...
aisse-moi jeter
ne oreille
C'EST TROP TÔT

oh mais j'y songe...
voilà l'occasion rêvée
pour me faire offrir
par Raymond cette
divine
caméra
vidéo

j'ai raté bêtement
l'accouchement de ta soeur
le tien sera mon chef d'oeuvre...
si tu n'as rien contre
bien
entendu
on
verra

'aimerais le savoir
assez vite parce que
i je dois m'organiser
pour
avril...
ON
VERRA

bon mais
ce n'est pas
la peine
d'être
désagréable...
où vas-tu?
faire pipi
maman
avec ta
permission

ah ça appuie
sur la vessie
c'est un fait
j'en sais
quelque
chose

écoute Theo
viens me chercher
sous n'importe
quel prétexte
de boulot
je n'en
eux plus
elle est
d'un chiant
que je ne
te raconte
pas

quoi... tu as Lucienne
pendant tout le week end
et alors?
O.K. je vois
c'est ça...
et moi je
t'emmerde

et au fait Brigitte
le père de ton enfant
qui est-ce
donc?
un
pauvre
individu
ah
bon
16

JEUDI
8
SEPTEMBRE
Ste ROUSTE

RRRRRR

ça va toi? les vacances étaient comment?... oh moi bonnes... normales... sans intérêt pour tout dire... ah bon Jean s'est noyé?
tu me raconteras ça

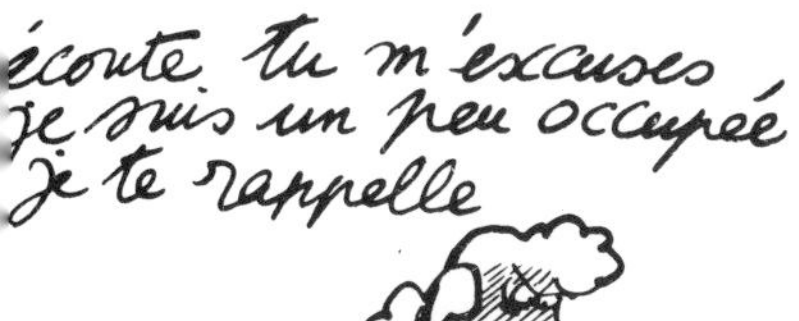
écoute tu m'excuses je suis un peu occupée je te rappelle

allo je suis chez madame Peau? je me permets de vous téléphoner madame car je crois que vous employez madame Candida Rosario depuis longtemps
Candida oui... ah vous l'appelez Maria?

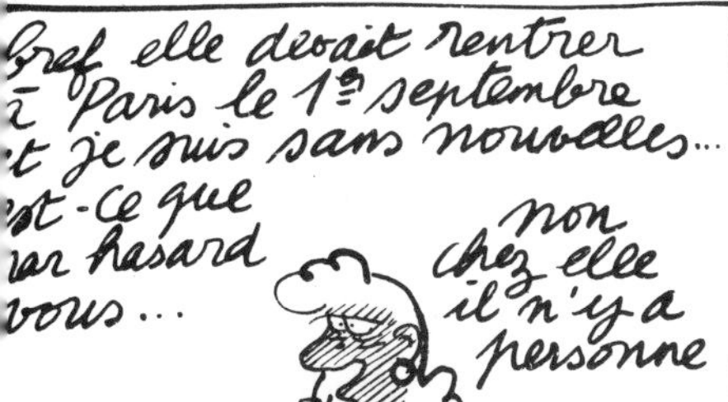
bref elle devait rentrer à Paris le 1er septembre et je suis sans nouvelles... est-ce que par hasard vous...
non chez elle il n'y a personne

certes j'ai son adresse au Portugal mais elle ne répond pas à mes courriers et elle n'a pas le téléphone
vous ne connaîtriez pas l'employeur de son mari

plombier au noir, oui... je sais il est à l'étranger actuellement mais c'est provisoire...
entreprise Couilleux et fils à Garches merci

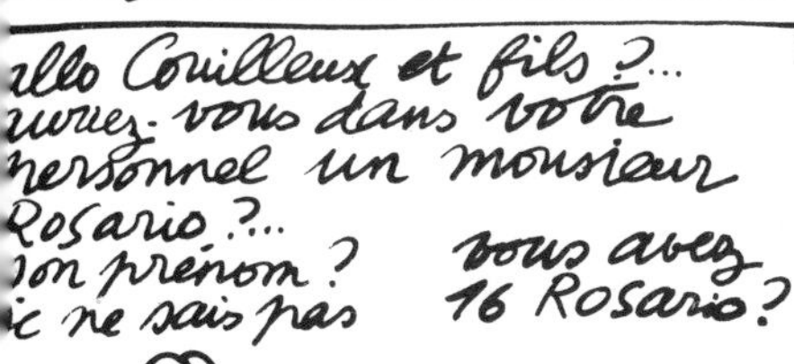
allo Couilleux et fils?... auriez-vous dans votre personnel un monsieur Rosario?... son prénom? je ne sais pas
vous avez 16 Rosario?

bon merci

au lieu de téléphoner à tes copines tu ferais mieux de commencer à apprendre ton texte
je sais ce que j'ai à faire!

17

"pauvre crétin c'est parce que tu es moche et nul que je t'aime"
on dirait moi et Théo

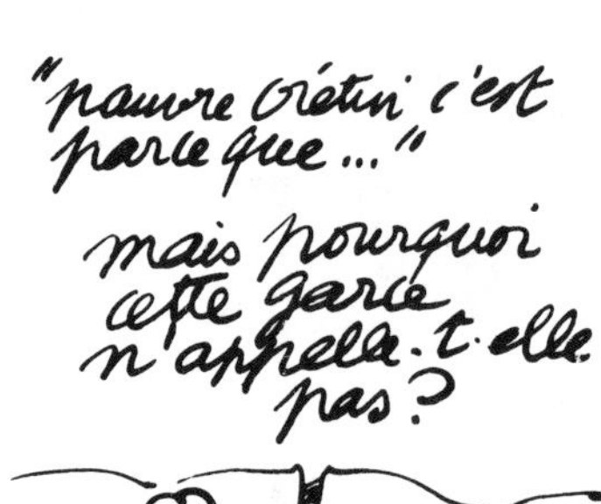
"pauvre crétin c'est parce que..."
mais pourquoi cette garce n'appelle-t-elle pas?

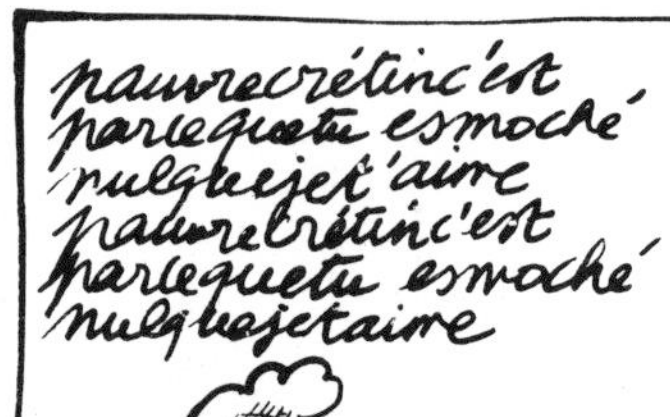
pauvrecrétinc'est parcequetu esmoché nulquejet'aime pauvrecrétinc'est parcequetu esmoché nulquejetaime

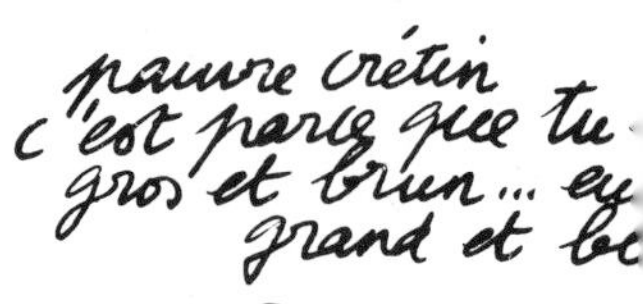
pauvre crétin c'est parce que tu
gros et brun...
grand et

LUNDI 12 SEPTEMBRE St ROUILLE
pauvre abruti c'est parce que tu es grand et noir que je...

14 SEPTEMBRE Ste BOBOQUE

SAMEDI 17 SEPTEMBRE St JEAN-MOU
allo madame Peau...
rien et vous?
merci à demain

MARDI 20 SEPTEMBRE Ste BRANLE

RRRRRR

encore toi bon dieu Théo tu as déjà appelé hier !... non et non je ne pars pas avec toi en repérages
c'est comme ça un point c'est tout
oh fous-moi la paix

VENDREDI 23 SEPTEMBRE St EXQUIS
MON ENFANT OÙ EST MON ENFANT !

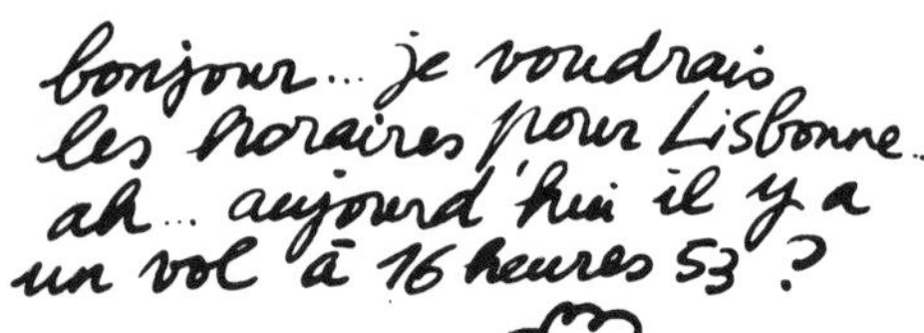
bonjour... je voudrais les horaires pour Lisbonne... ah... aujourd'hui il y a un vol à 16 heures 53 ?

Orly-Sud
TAXI PARISIEN

CHEGADA
ARRIVÉE
ARRIVAL

Controle de Passaportes
Passport Control

Saida
Exit

AVIS
ALUGAMOS AUTOMÓVEIS
RENT A CAR
AVIS

PORTO
LISBOA

Ach che ne zais pas che pas gonnaître le koin

Victoria !
madame Lemercier... vous ici ?
Victoria... elle est là ta mère ?
MAMAN
MAME LÉMERTCHIER
CANDIDA !
yé ou des ennouis mame Lemertchier... ma des-ennouis poubez pas saboir !
vous pourriez quand même donner des nouvelles... comment allez-vous ?
oh pas tellement bien... yé oune loumbago qué lé potêtre oune chiatique... ma mon mari lé ba pas bien non plous...
votre mari ?
montez dans lé salon qué yé bous fa oune café
Côté enfant tout va bien Candida ?
MONTEZ MAME LEMERTCHIE
QUÉ YÉ PO PAS PAR
DÉBANT MON MAR
IL MÉ TOUERAIT !

mon mari l'a ou oune achident de trabatche époubantable!... lé constrouisait oune ousine clés en mains...
au Qatar je sais

mon enfant... lé... tout près de moi! laissez-moi écouter battre son coeur candida
ma non tché trop tôt

je veux écouter son coeur bon dieu!
bous bous énerbez qué yé po pas expliquer

Bon. Mon mari lé trabatchait pour lé chantier dé l'ousine et en lé même temps lé réfaisait les peintoures dans la mezon del director
au noir

et alors lé tombé dou chameau porque y abait pas dé taxi et tché cassé la guole, el col del fémour, tout
mon mari

alors lé rébénou al Portougal dans oune abion dé l'Orop Assistance quoi tché normal... bous énerbez pas yé bous explique

yé crou qué l'allait mourir, yé ploré yé ploré porque l'était très très grabe

maintenant ba oune po mieux ma lé emmerdant dé choigner qué l'a toujours béjoin quéchoje
maman

papa laisse entendre sans équivoque aucune encore qu'à demi-mot qu'il prendrait volontiers une légère collation
Bictoria lé doctor l'a dit LA DIÈTE merde!

Ça suffit Candida quand rentrez-vous à Paris à la fin?
ma

abec l'acchident de mon mari, yé plous béjoin rentrer...
Comment qu'est ce que vous voulez dire?

mame lémertchier... entre l'I.T.T* el prechium doloris et el prédjouditche echtétique la Sécourité Sociale ela berse houit millions
centimos
21

* INCAPACITÉ TOTALE TEMPORAIRE

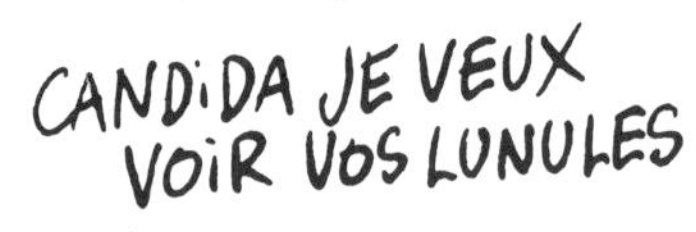

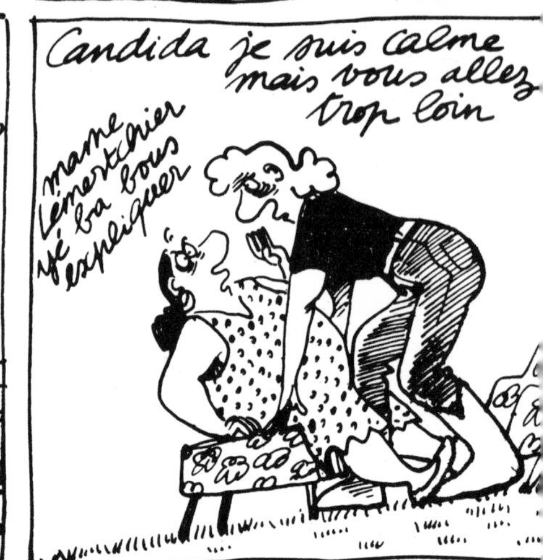

et ma coussine lé trabatche dans lé serbice... là... lé serbice qué les bébés ils se conserbent des années

LE LENDEMAIN, COIFFÉE D'UNE CASQUETTE EN FONTE JE REPRENAIS L'AVION
AIR PORTUGAL

CANDIDA M'AVAIT RANIMÉE EN M'HUMECTANT LES LÈVRES DE PORTO

céloui-là lé doux... oune pétite choichante dijnof... oune année l'a beaucoup plou

BIEN QU'ELLE SOUFFRÎT DE SA SCIATIQUE CANDIDA S'ÉTAIT EXPLIQUÉE UNE PARTIE DE LA NUIT
alors ma coussine l'achpiré l'embryonne

lé fa lé ménatche dans lé laboratoire ma l'a bo
faire les doctors et tché oune femme l'a oune bon tcherbeau... l'apprende très bite

après lé mette l'éproubette abec l'of dédans en el assote, qué fa moins cent quatre bingt cheije dégrés qué quand on oubre lé bidone il fa dé la foumée
tiens

JE COMPRIS QUE LE PLAN INITIAL DE CANDIDA ÉTAIT DE SE FAIRE RÉIMPLANTER EN SEPTEMBRE
ni bou ni connou

LA TOURNURE DES ÉVÉNEMENT
EN AVAIT DÉCIDÉ AUTREMENT
poubais pas débiner
bien chow
qué non boyo

et ténez... bous m'abez paillée 25000 pour la implantacionne, bous paillez rien pour l'accouchement qué ye le fa pas tché normal et pour la déplantacionne yé bous prend rien... tché cadeau!
au poil

sacrée Candida va!

JE DORMIS SUR LE CONVERTIBLE D'UN SOMMEIL ÉTOUFFANT
maman j'ai froid

mame Lémertchier, hier choir
ous m'abez dit qué y'été oune
alope, oune cochonnerie, oune
oute à cent
alles y oune
as dé merde
orque
ous été
nerbée

ma yé né bous en bo pas... rébénez mé boir pour les bacances abec lé pétit

yé né bous pas condouire à l'aroporte qué yé oune casquette llé en bétone

JE RÉCUPÉRAI LENTEMENT

PASSAI LA SOIRÉE AVEC THEO, SONGEAI UN INSTANT À ME CONFIER À LUI MAIS Y RENONÇAI

E LENDEMAIN À HUIT HEURES.
E FONÇAIS À L'HOPITAL

je voudrais voir le professeur Belloeuf ou un de ses assistants
nous voudrions voir le professeur Belloeuf

e vous
emande
ardon
'étais
vant
ous
je vous demande pardon... nous avons rendez-vous

le professeur Belloeuf vous attend messieurs

c'est pour récupérer un embryon congelé au nom de Candida Rosario
ticket de consigne
24

le Comité de bioéthique est là
nom de Dieu j'avais complètement oublié
ESSUIE MAINS OUATÉS
fais les entre
que veux-tu
je te di
ESSUIE MAINS OUATÉS

Professeur après six mois d'efforts pour obtenir un rendez-vous nous sommes ravis de vous rencontrer
plaisir partagé

bien entendu nous respectons immensémen
la Joie du Chercheu
mais pour être fr
tout ça ne nou
paraît pas trè
catholique
pas très clean au plan humain
pas très luthérien
pas blanc-bleu au niveau de la famille
pas très hébraïque
hm...

en outre sur le plan juridique nous sommes confrontés à un vide terrifiant
puis-je vous faire visiter le laboratoire

ceci est une hotte à flux laminaire pour les cultures cellulaires
ça c'est une centrifugeuse thermostaté
pour centrification à basse température

euh... vous savez nous ne sommes pas des spécialistes... nous nous intéressons essentiellement au problème de l'Être

y a une dame qui vient chercher son embryon

enfin Jocelyne vous voyez bien que je suis occupé...
oui mais votre assistante est dans son bu

eh bien dites à cette dame de patienter il ne va pas se sauver son héritier

nous exigeons d'être complètement informés... nous sommes responsables
devant la loi
devant la Société
devant les fidèles

spectrophotomètre à absorption atomique, extracteur d'hormones, cafetière italienne

madame Rosario

patientez encore un peu il ne va pas se sauver votre héritier

ça va durer longtemps? parce que moi je...
deux minutes on vous dit!

adame j'ai illi perdre on enfant je trouve re ton nvolte
oh là là t'entends ça Maryse

elle a failli perdre son enfant, je te raconte pas!
moi madame j'ai eu deux enfants par mes propres moyens

et pratiquement les deux avec un homme, et je m'en porte pas plus mal... étonnant non?
y en a qui ont rien dans le ventre c'est le cas de le dire
dites donc...

otre vie privée m'indiffère et vous avez pas à juger du choix des autres
désolée moi le trip-confort des gonzesses ça me gonfle

je vois, vous préférez le trip-sacrifice... vous vous excitez sur vos vergetures le soir
dites donc...

la personne qui vient chercher son embryon fait du scandale à la Réception
26

où étiez-vous passée Mathilde ? occupez-vous de ça c'est urgent

finissons-en en rang, en ordre, en silence et non pas comme des gamins
Candida Rosario 2143 F 41
grouille-toi c'est une hystérique

ces bidons contiennent de l'azote liquide à -196° dans lequel on congèle les embryons obtenus in vivo ou in vitro

nous travaillons pour une compagnie qui exporte du bétail congelé dans le monde entier... je m'explique

on insémine une super vache laitière avec le sperm d'un super-taureau de concours qu'est-ce que ça donne ?.. on ne souffle pa
... ça donne des embry de super-beaux

que l'on expédie tout congelés dans des fermes d'élevage où ils seront décongelés dans un bain-marie à 37°
TSSSS

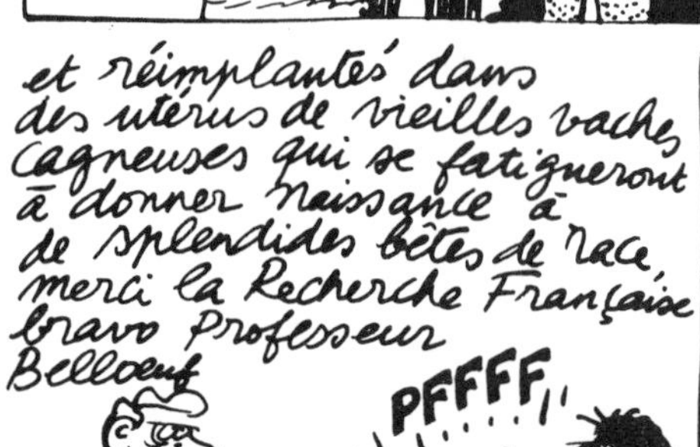
et réimplantés dans des utérus de vieilles vaches cagneuses qui se fatigueront à donner naissance à de splendides bêtes de race, merci la Recherche Française bravo Professeur Belloeuf

PFFFF

franchement Professeur tout ça on le sait... on lit les journaux, cessez de faux-fuir que diable !
allez-vous enfin nous parl d'embryon HUMAINS

qui sont-ils d'où viennent-ils où vont-ils ?
dis Mimi... je ne retrouve pas l'embryon de la mère Rosario

je baisse les bras... aujourd'hui tout le monde est contre moi
regarde toi-même Rognon Roquet Roudy

el j'ai failli
lliez mon thé
vec le ministre
e la santé
t mon pastis
vec le
ministre
le la
ustice
nous ne vous cachons pas notre amertume... les questions cruciales ont été sciemment occultées

un prétexte éhonté ce thé!
qui a dit ville juridique? un gouffre oui... un abîme!
pour ma part je vais de ce pas alerter les Droits de l'Homme
j'appelle l'Archevêché
et moi le Consistoire

c'est quoi dans le bidon là?
des chevaux de course

alors pourquoi y a t il marqué: "coqs de combat"?
parce que ce labo est un bordel

six mois que je pleure pour avoir de nouveaux bidons tout le monde s'en fout! heureusement je suis la fille organisée...

la preuve tiens... je me rappelle où j'ai mis le lardon

le bidon vert... je me revois y glisser l'éprouvette parce que le bidon à bébés était surpeuplé

il était encore ici
ier soir sur l'étagère
je ne suis pas dingue!

dis mimi le bidon vert tu l'as pas vu... qui était sur l'étagère?

le bidon de veaux? ben il est parti pour TOKYO pourquoi?
28

t'as très bien entendu... fais pas la conne
répète-moi ça...

qui a signé le bon de sortie, nom de dieu?
c'est madame Pon qui remplaçait madame Choin qui rattrapait ses jours de Pente-côte

C'EST MOI QUI SIGNE LES BONS DE SORTIE
c'est pa
mes oign
he

le petit Portugais a été embarqué avec les veaux pour Tokyo
QUOI?

troisième fois en six moi
que se produit un inci
de ce genre... trouvez
norm
vous

mais enfin c'est pas exceptionnel qu'on mette les enfants avec les bêtes, seulement on me prévient jamais quand y a des expéditions
j'espère qu'il n'est pas trop tard

Tout ça c'est des histoires de susceptibilités entre gonzesses!

pour le Japon? ben oui... c'est parti à 11 heures à Charles de Gaulle... où c'est qu'y a un lézard?

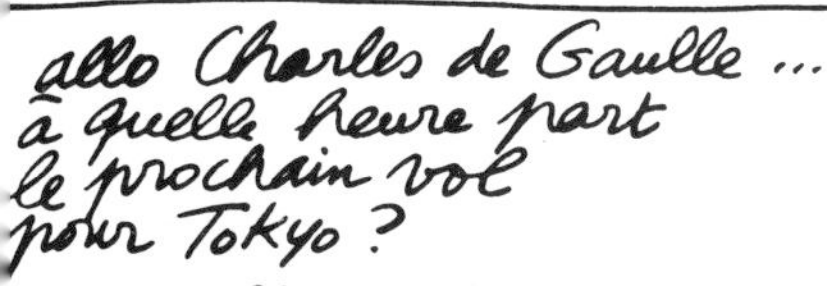

well anyway there are
twenty calves in that
green bidon for Tokyo and...
no I'm not kidding!..
that is to say
they are not
real calves...
I mean
adults...

LE 4ème SOUS-SOL DE L'HOPITAL, SOUS LE PARKING.
ÇA SENT LE SALPÊTRE ET L'URINE DE SOURIS.
UN ENDROIT BIEN SYMPATHIQUE.

AU FOND : UNE PORTE ET DERRIÈRE CETTE PORTE...

et encore un gène maniaco-dépressif... un !

peut-être un deuxième gène de schizophrénie non ?
oh que cet enfant va avoir un mauvais fond !

qu'est ce que c'est
ce gène qui nous
arque là...
albinisme ?
te l'enlève
ite fait
ce n'est pas notre genre

voyons... vais-je balancer un jet d'acide urique dans cette vieille cellule là... bon pour sa petite agressivité ça...
ou bien demain ?

non tout de suite tiens... là... ça va nous détendre

h bien nous allons obtenir un affreux personnage... qui fera beaucoup de peine... hein mon petit trésor ?

un petit Néron un petit Hitler un petit Staline
beurk... au frigo !

bou-ouh... le grand silence blanc
31

bon, mal faire c'est bien joli mais dans la vie tout n'est pas que jeux et ris
RRRR

allo... évidemment c'est moi, qui veux-tu que ce soit?... t'es dans une cabine j'espère
O.K. passe la commande

je note: pour l'Afrique du Sud douze basketteur

mais non aucun problème... j'injecte un gène d'hormone de croissance dans une cellule que je balance dans un embryon
après je clone aussi sec

trente actrices de hard?... heu... jusqu'ici l'hormone de lactation donne de bons résultats pour les gros seins c'est plutôt les culs qui posent question...
t'as pas besoin de le dire aux Hollandais

d'ailleurs je leur balancerai le triple d'œstrogènes à ces chiennes ce sera tout bon
quoi d'autre?

des prix Nobel... encore?... mais je t'ai déjà dit que c'est pas faisable à l'heure actuelle...
non, y a pas de gène d'intelligence qu'est-ce que tu veux que j'y fasse?

ta gueule!... le commerce c'est toi la recherche c'est moi tu vois ce que je veux dire

je raccroche... je sens quelqu'un à la porte... naturellement je suis prudent... tu me prends pour un con?
GRAT GRAT

qu'est-ce que c'est?

ouvre Edouard c'est moi

Mathilde!

Mathilde... comment as-tu le front de mettre les pieds ici?

après ce que tu m'as fait
après ce que JE t'ai fait?

tu m'as salement abandonné après deux mois de passion... tu m'as laissé seul, déchiré, détruit...
ho le mec!

il me tire pendant deux mois il me dit même pas qu'il a de l'herpès
eh!

tu ne penses qu'au sexe! l'amour est une union spirituelle avant tout merde!
O.K. oublions le vieux coup... heureusement je n'ai rien attrapé

voilà ce qui m'amène:.. j'ai besoin d'un embryon en état de marche
pour quoi faire?

ben rien eee... on en a égaré un eee et eee... il faut le remplacer c'est tout
tu veux ouvrir ton connard de patron, tu es amoureuse de lui c'est ça?

absolument pas et d'ailleurs c'est mon problème
en tous cas mes embryons je ne les garde garce!

ça m'ennuie que tu refuses... ça peut m'inciter à jacter au sujet de tes fructueux petits commerces
ça peut dire quoi?

que tu as la confidence sur l'oreiller facile. qu'en outre tu causes dans ton sommeil et que je ne suis pas une imbécile

tu coupes des embryons en quatre et tu les vends comme pièces uniques à des couples stériles
c'est faux

tu trafiques des oeufs humains en leur enlevant un noyau pour en faire des individus à un seul parent que tu vends à des célibataires
tu vas l'avoir ta trempe
33

et je suis sûre que depuis l'été dernier tu as eu beaucoup d'autres idées... pour trois sous tu clonerais ta propre mère

tu n'as aucune preuve !
ah non ?

c'est avec ton traitement minable que tu t'es offert ta villa de 28 pièces à Annaba ?

tes parts dans le Club Méditerranée de Tirana, tes apparts à Minsk, ton loft à Canton...
Je continue ?

et les 500 Francs que tu donnes chaque année au denier du culte tu les prends où ?

alors tu me le donnes cet embryon ?
eh bien tu vois... finalement :
oui

j'ai apporté ma thermos
bravo

voilà

merci Edouard sans rancune ?
tu penses !

NYARK NYARK

je m'en fous je peux faire toujours pire

madame Rosario?

là...
elle est un peu abruti
j'ai dû lui envoyer une fléchette de valium, on ne pouvait pas la tenir

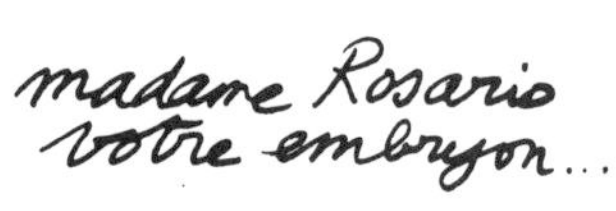
madame Rosario votre embryon...

mon...

mon emb...

mon enfant... mon enfant à moi...
ce n'est pas encore un enfant à proprement parler

je peux le prendre dans mes bras?
n'exagérons rien... ce n'est qu'une thermos pleine d'azote avec une éprouvette dedans...

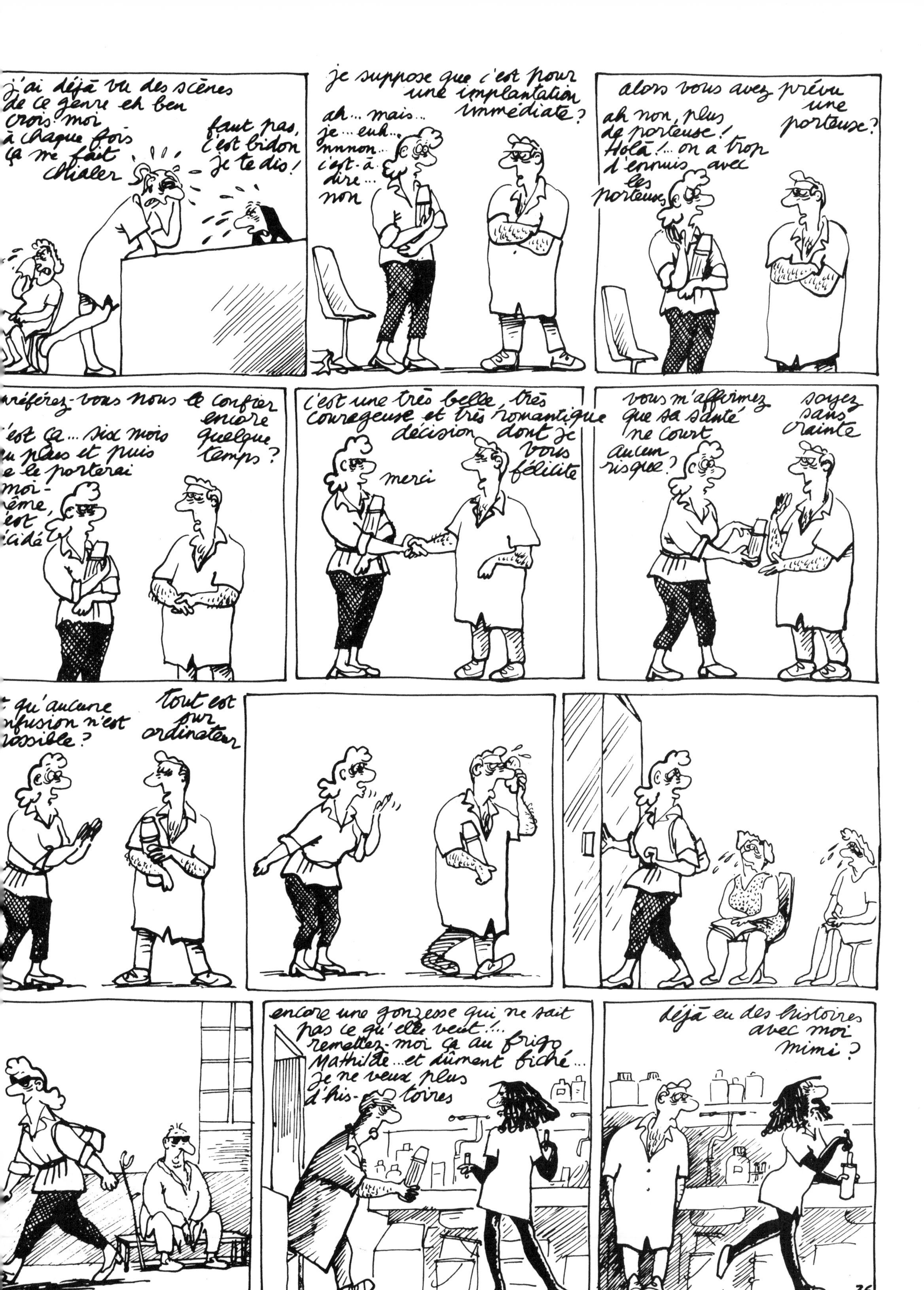
j'ai déjà vu des scènes de ce genre eh ben crois-moi à chaque fois ça me fait chialer
faut pas, c'est bidon je te dis!
je suppose que c'est pour une implantation immédiate?
ah... mais... je... euh... nnnon... c'est-à-dire... non
alors vous avez prévu une porteuse?
ah non, plus de porteuse! Holà!... on a trop d'ennuis avec les porteuses
référez-vous nous le confier encore quelque temps?
'est ça... six mois u plus et puis e le porterai moi-ême, 'est idé
c'est une très belle, très courageuse et très romantique décision dont je vous félicite
merci
vous m'affirmez que sa santé ne court aucun risque?
soyez sans crainte
qu'aucune nfusion n'est ossible?
tout est sur ordinateur
encore une gonzesse qui ne sait pas ce qu'elle veut!... remettez-moi ça au frigo Mathilde... et dûment fiché... je ne veux plus d'his-toires
déjà eu des histoires avec moi mimi?
36

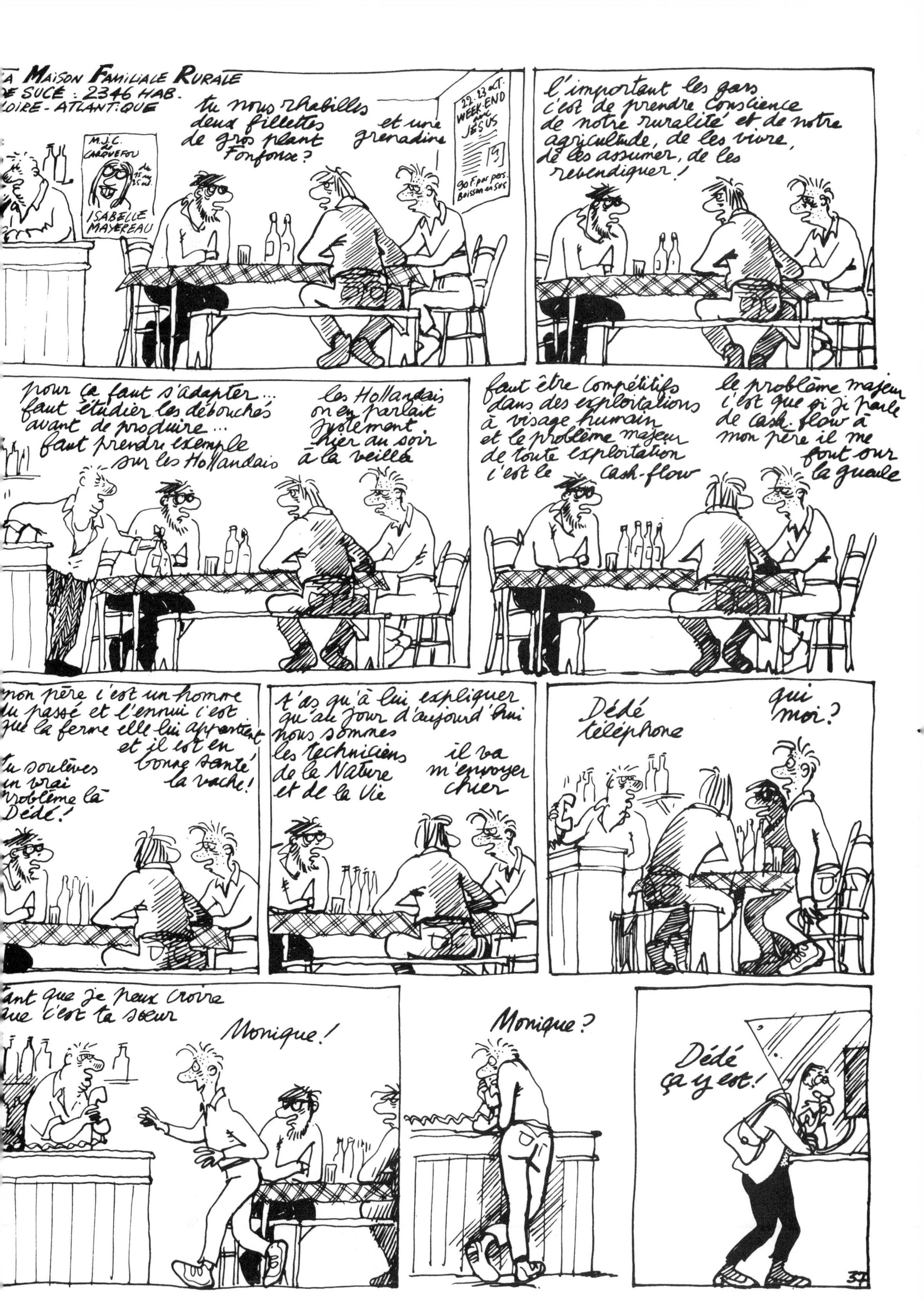
A MAISON FAMILIALE RURALE
E SUCÉ : 2346 HAB.
OIRE - ATLANTIQUE
tu nous rhabilles deux fillettes de gros plant Fonfonse?
et une grenadine
M.J.C. de CARQUEFOU
ISABELLE MAYEREAU
22.23 OCT. WEEK-END avec JÉSUS
90 F. par pers. Boisson en sus
l'important les gars c'est de prendre conscience de notre ruralité et de notre agriculture, de les vivre, de les assumer, de les revendiquer !
pour ça faut s'adapter... faut étudier les débouchés avant de produire... faut prendre exemple sur les Hollandais
les Hollandais on en parlait justement hier au soir à la veillée
faut être compétitifs dans des exploitations à visage humain et le problème majeur de toute exploitation c'est le cash-flow
le problème majeur c'est que si je parle de cash-flow à mon père il me fout sur la gueule
mon père c'est un homme du passé et l'ennui c'est que la ferme elle lui appartient et il est en bonne santé la vache!
tu soulèves un vrai problème là Dédé!
t'as qu'à lui expliquer qu'au jour d'aujourd'hui nous sommes les techniciens de la Nature et de la Vie
il va m'envoyer chier
Dédé téléphone
qui moi?
tant que je peux croire que c'est ta soeur
Monique!
Monique?
Dédé ça y est!

je t'ai piqué une éprouvette dans le dernier envoi pour le Japon... un embryon de Charolais magnifique

un moment j'ai cru que le patron s'en était aperçu... dame j'ai eu tellement la trouille que j'ai tourné de l'œil

je te l'ai posté lundi à l'adresse de la M.F.R. j'ai pas pu t'avoir plus tôt au téléphone, t'es content hein mon Dédé?

Monique t'es géniale!

Fonfonse, argarde donc voir dans mon casier des fois qu'i y aurait un colis
dame oui qu'i y en a un

je vais l'implanter dès ce soir dans Sue-Ellen... dame je voudrais être à dans neuf mois pour voir la tête de papa

je viendrai pour la mise bas Dédé... ah dame je veux voir ça! allez je t'embrasse

cette fois le père pourra pas dire que chuis pas digne de reprendre la ferme... ... allez je t'embrasse ma poule

les gars je me sauve, j'ai à faire à la maison
t'es rien pressé tout par un coup Dédé!

RRRRRRR

éou donc que t'étais core
asteure que ton père est pas
d'un bon tour c'est ben rare
qu'i te fait pas une belle

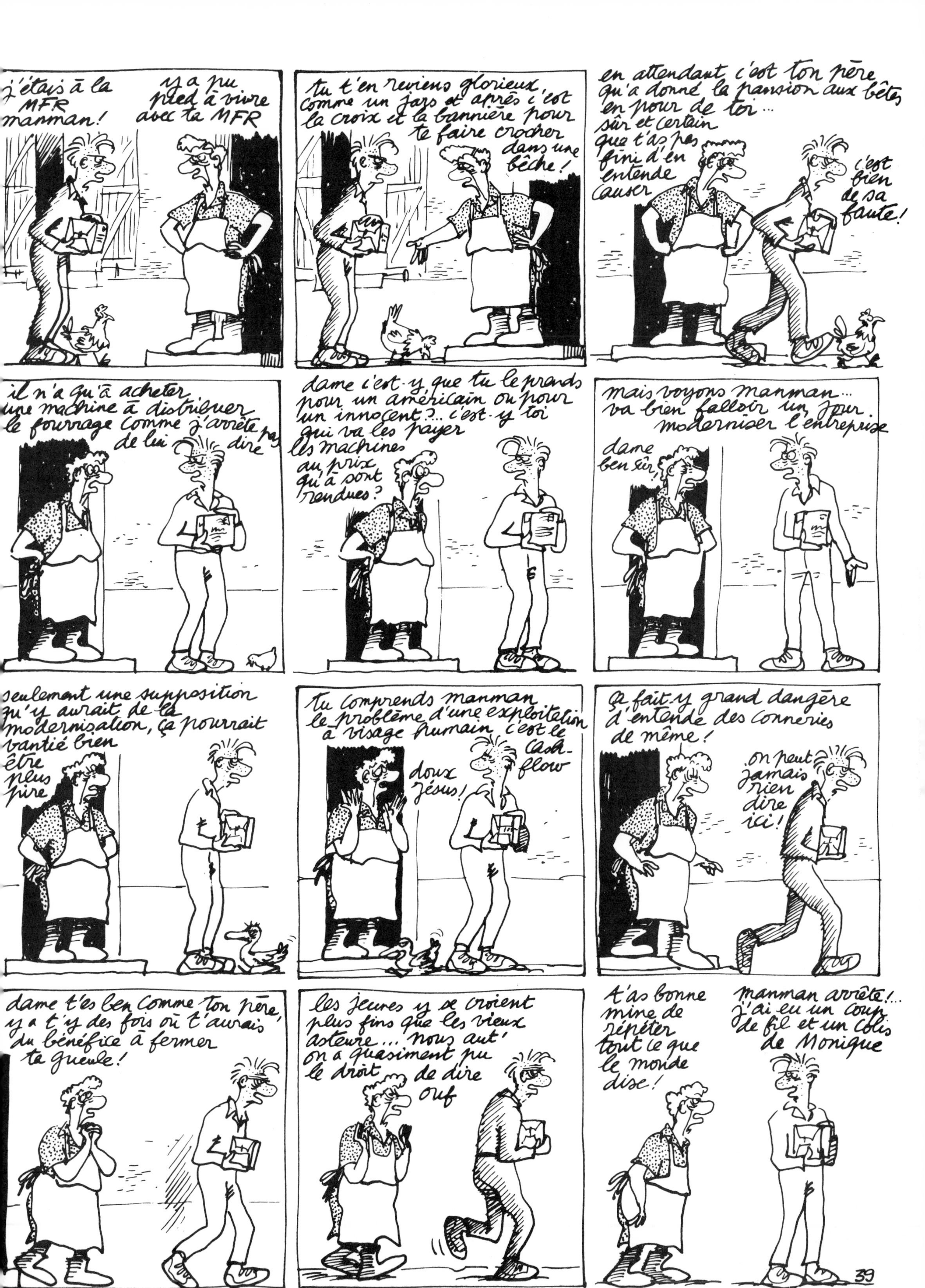
j'étais à la MFR manman!
y a pu pied à vivre avec ta MFR
tu t'en reviens glorieux comme un jars et après c'est la croix et la bannière pour te faire crocher dans une bêche!
en attendant c'est ton père qu'a donné la pansion aux bêtes en pour de toi... sûr et certain que t'as pas fini d'en entende causer
c'est bien de sa faute!
il n'a qu'à acheter une machine à distribuer le fourrage comme j'arrête pas de lui dire
dame c'est-y que tu le prends pour un américain ou pour un innocent?... c'est-y toi qui va les payer les machines au prix qu'a sont rendues?
mais voyons manman... va bien falloir un jour moderniser l'entreprise
dame ben sûr,
seulement une supposition qu'y aurait de la modernisation, ça pourrait vantié bien être plus pire
tu comprends manman le problème d'une exploitation à visage humain c'est le cash-flow
doux Jésus!
ça fait-y grand dangère d'entende des conneries de même!
on peut jamais rien dire ici!
dame t'es ben comme ton père, y a t'y des fois où t'aurais du bénéfice à fermer ta gueule!
les jeunes y se croient plus fins que les vieux asteure... nous aut' on a quasiment pu le droit de dire ouf
t'as bonne mine de répéter tout ce que le monde dise!
manman arrête!... j'ai eu un coup de fil et un colis de Monique
39

SSSSSS

Combin donc de fois faut te dire qu'on veut point entende causer de ta soeur à la maison
MANMAN

combien de fois faut-il te répéter que Monique ne fait pas la puta à Paris, elle est dactylo factu rière
c'est ce qu'a disent toutes

bouge pas!...on sait ben par chaix nous que les fi d'garces qu'attendent les filles à la gare Montparnasse pour les mette sul tapin y en a à confusion autant dire!
c'est des histoires

Monique est dactylo-facturière dans un hôpital
MANMAN!
grand poinfin!

une putain dans la famille Sainte Vierge, on est-y mortifiés!

la question n'est pas là... ON m'a envoyé un embryon que je vais mettre dans Sue-Ellen

enfin c'est comme une insémination si tu veux et on va avoir un beau Charolais splendide
dame...

c'est pas Dieu possibe qu' faillie carne comme Sue-He qu'est née à la Chapelle sur ferait un Charolais asteure!

c'est-y que les chats font des chiens au jour d'aujourd'hui que le monde sont si malins?

en tous cas faut pas le dire à papa je veux lui faire la surprise... mais j'ai besoin de toi pour tenir la queue

dame faut-y aussi que j'ui buffe sul vent' en récitant le Je vous salue Marie?

faudrait vantié mieux que tu fais vite !... on père doit traînasser dans le débit à Marie-Jo asteure mais je m'y fierais pas
Commant peux-tu supporter ce vieil alcoolo ?

t'as pas à causer comme ça de ton père, ton père c'est ton père !
ce serait pas ton père
je dis pas mais c'est ton père !

tiens-moi l'éprouvette pendant que j'aspire
fais bien attention
Emile Beziat va point être content

il est inséminateur ça le regarde pas !...
c'est une implantation je te dis manman

on finirait par tourner fou avec leurs sacrées inventions !
tiens la queue manman quoi !

t'y vois seulement pas la moitié de ta misère là-dedans
Sue-Ellen ne bouge pas

ça y est manman... j'ai réussi !...
l'embryon est dedans !
c'est un coup d'arrive autant dire

BOOOEURP

tant que je peux croire que v'là ton père... et avec une belle beurnazée comme de juste
un peu plus il venait faire chier avant que j'ai fini ce taré !

cause pas comme ça Dédé, ton père c'est ton père
41

ah te vlà fi d'garce de feignant! éou que t'étais passé que je t'ai espéré durant deux heures de temps?
il était à la MFR
ta MFR c'est des va-de-la-gueule, je veux pu que t'y foute les pieds t'entends
dame va ben fall
un jour modernis
l'entreprise
c'est ça! t'auras bon air quand i viendra te demander une ordinateur pour donner le grain aux poules
ce serait normal papa...
sinon comment suivre l'évolution moyenne de la ponte?... regarde les Hollandais
les Hollandais c'est des dégueulasses que je veux pas n'en entendre causer

y a pas que les Hollandais y a aussi les Danois
les Danois c'est des peigne-culs!

et puis y a les Allemands t'aime bien les Allemands hein papa?
KAÏ

en place de faire le comédien et de mettre tes hardes indign
t'aurais meilleur temps de venir à manger ton frichti
les a-allemands c'est dddes en-fffoirés...

c'est du chili comme carne que Fonsine Rabaland m'a donné la recette... c'est tout ce qu'y a de sain à preuve que c'est ce qu'ils mangent les américains

les américains c'est des fumiers

dame tais ta gue
Dédé... ton père c'est ton père
quel con mais quel con!... j'en peux plus!
47

dame c'est-y que ton gars i tourne fou asteure qu'i passe toute la sainte journée avec la vache quand c'est pas toute la nuit ?
laisse-tranqui asteure

Dédé
Monique

j'ai calculé que le veau allait naître ces jours-ci alors je suis venue
c'est foutu

Dédé... qu'est ce qui est passé ?
papa a raison, je suis un bon à rien

au début tout a bien marché et puis cette bête idiote a refusé de grossir
elle a toujours été mince de nature

le palper rectal est complètement décevant... c'est foutu je te dis...

j'abandonne petite soeur,
tu ne peux pas faire ça !
je laisse tomber... je déclare forfait

je sèmerai le blé du geste auguste, je le battrai au fléau, je sarclerai les choux-verts avec le sarcloir de pépé...
j'égorgerai le cochon au silex

et je crèverai dans la bouse alcoolique et breton comme mes ancêtres
NOOOON

BÔÔÔÔÔÔÔÔ

Dédé... j'entend le rot du père...

cache-toi derrière le tas de foin

eh ben mon feignant c'est-y que tu vas te décider à crocher dans une fourche ou faut-y que je te botte le cul...
j'y vais papa

que tu me laisses m'esquinter le tempérament à ramasser le maïs seul à mon âge !... oh vais te dresser moi... mon fi d'garce !
oui papa

dame sûr que t'as point guère l'air dans ton assiette à matin !
si papa

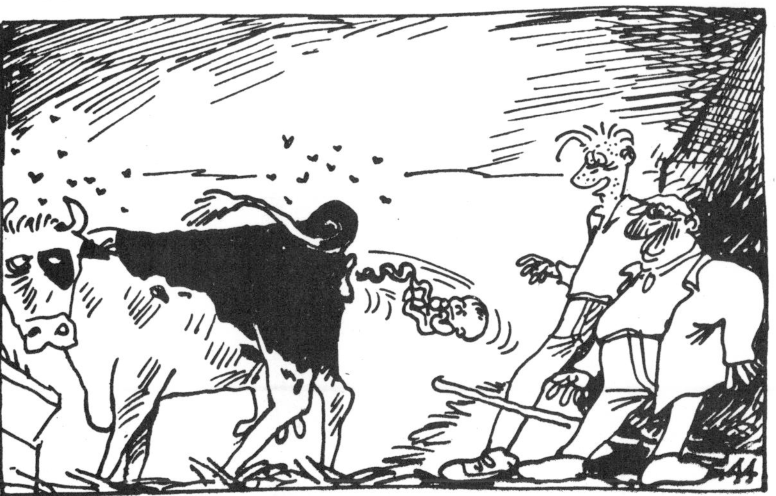

c'est une fille

dame cré nom de diousse de fi d'garce
mais papa je ne comprends pas

oui ben moi j'ai compris acré fi d'putain
tu t'as core levé du mauvais pied a matin mon pau bounhomme!

en tous cas la soupe est trempée depuis y a un quart d'heure de temps... c'est la croix et la bannière pour t'arracher à c'te vache asteure!..

dame ça c'est le restant !

quel donc travail tu disais qu'a faisait à Paris ?... faut-y que tu soyes innocent mon pauv' gars !
manman tu n'y es pas du tout

fait-y grand' honte !... on va avoir bon air devant le monde pour sûr !
mais tu t'égares... cet enfant n'est pas de Monique

je veux point de ça sous mon toit
calme-le voyons manman !

ne fille u'a fauté a rien à dire que son père corrige
tais ta gueule ta... sensément que t'as rien compris !

le Dédé... toujours fourré avec c'te vache... qu'est-ce tu crois qu'i y faisait le bougre... qu'i y cueillait des fraises ?

je veux point d'un salaud dans la famille
qu'est ce qu'il dit... moi et Sue-Ellen ?
ATTENTION

46
PAN

vingt guieux j'ai mal visé
MONIQUE

Chuis-t'y la cause qu'a s'a jeté devant son garne de frère?
alle a eu ce qu'a mérite
Monique parle-moi remue...

une fille qui fait la vie y a pas à s'étonner si a ramène
pisque je te dis que l'poupon c'est point elle c'est le Dédé avec la rousse
son coeur ne bat plus

tu vas payer ça vieille charogne vicieuse

parce qu'en dépit de ce que tu penses il n'y a rien entre Sue-Ellen et moi nous sommes bons camarades c'est tout

c'est Monique mon seul amour... oui, ma propre soeur... je l'ai toujour aimée et elle aussi m'aimai

entre 5 et 15 ans nous connûmes dans la grange des extases infinies... nous nous jurâmes de rester à jamais l'un à l'autre

pourquoi fallut-il que prise d'un scrupule ridicule elle passât son CA de dactylo-facturière et montât à Paris
fût-ce pour me fuir?... oui... sans doute!

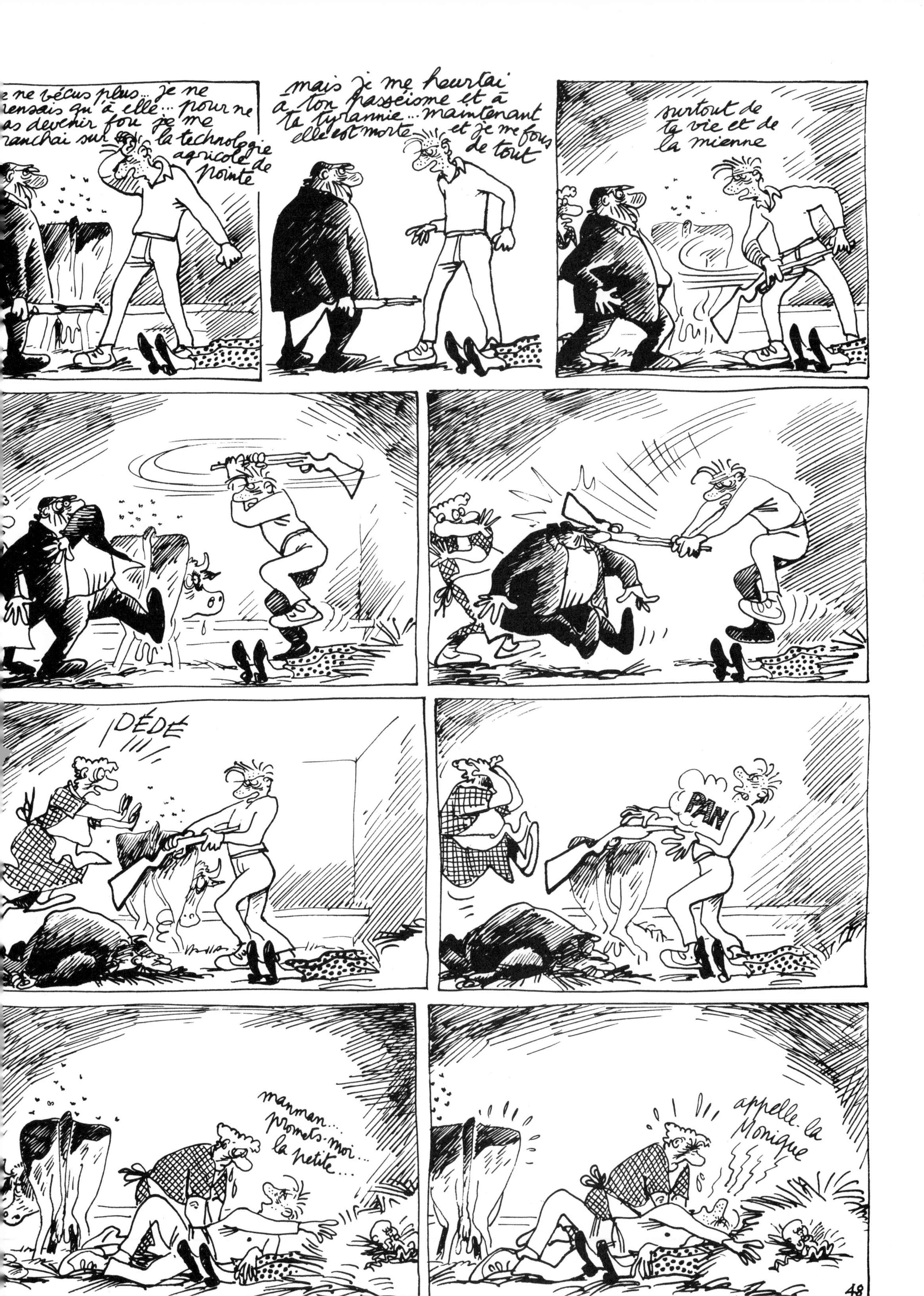
e ne vécus plus... je ne ensais qu'à elle... pour ne as devenir fou je me anchai sur la technologie agricole de pointe
mais je me heurtai à ton passéisme et à ta tyrannie... maintenant elle est morte
et je me fous de tout
surtout de ta vie et de la mienne
¡DÉDÉ
PAN
manman... promets-moi la petite...
appelle la Monique
48

E SAMEDI 7 AVRIL 1983 A 13 HEURE NOUS
VONS REÇUS UN APPEL TÉLÉPHONNIQUE
MANNANT DE... NOUS INDIQUANT QUE DES
OUPS DE FEU AVAIT ÉTÉ ENTENDUS EN
ROVENNANCE DE LA FERME DE MONSIEUR
ADIGOIS, LIEUTDIT L'ONGLETTE,
OMUNNE DE SUCÉ...

A LA SUITE DE CETTE APPEL NOUS NOUS
SOMMES RENDUS A LADITTE FERME ACCON-
PAGNÉ DU GENDARME AUXILLIAIRE BATARD...

VONS CONSTATÉS DANS L'ÉTABLE LA PRÉSENCE
E MONSIEUR RADIGOIS INNANIMMÉ, DE
MADAME RADIGOIS SON ÉPOUSE, DE LEURS FILS
ANDRÉ ET DE LEUR FILLE MONIQUE CES DEUX
DERNIER BLESSÉS PAR BALLE ET ÉGALEMENT
INANNIMÉ ET D'UNE VACHE LAITIÈRE DE
RACE COMUNNE...

LES PREMIÈRES CONSTATATION MÉDICALES
EFECTUÉS PAR LE DOCTEUR LE CONIAC
LAISSE PRÉSUMMER QUE LES JOURS DES
VICTIMMES NE SONT PAS EN DANGER...

DES DÉCLARRATIONS DE MADAME RADIGOIS
L APPERT QUE SA FILLE MONIQUE SE SERAIT
BLESSÉ ACCIDANTELLEMMENT EN NETOYANT
UN FUSIL DE CHASSE DE CALLIBRE 12,
DE MARQUE MANNUFRANCE... LA BALLE
N'AURAIT ATTEIND
AUCUN ORGANNE VITALE.

SON FRÈRE ANDRÉ VOULLANT LUI MONTRER
COMMENT FAIRE A ÉGALLEMENT ÉTÉ ATTEIND
D'UNE DÉCHARGE A HAUTEUR DU COEUR,
LA BALLE S'ÉTANT ÉCRASÉ SUR UNE MÉDAILLE
A L'EFIGIE DE MONSIEUR MICHEL ROCARD
MINISTRE DE L'AGRICULTURE QU'IL PORTAIT
ÉPEINGLÉ A SON MAILLOT DE CORPS LE BLESSÉ
NE SOUFRIRAIT QUE DE CONTUSIONS
NERVEUSE.

MONSIEUR RADIGOIS VOULLANT VENIR EN AIDE
A SES ENFANTS AURAIT HEURTÉS DE LA TÊTE
LA CROSSE DU FUSIL, HEUREUSEMENT LE
JOURNAL QUOTIDIEN "PRESSE-OCÉAN" DONT
IL RAMBOURÉ SA CASQUETTE EN RAISON
DES FRIMATS AURAIENT AMORTIS LE COUP
SON ÉTAT EST CONSIDÉRER SANS GRAVITTÉ.

EN FOI DE QUOI NOUS AVONT ÉTABLIS
LE PRÉSENT PROCÈS-VERBAL POUR VALLOIR
CE QUE DE DROIT.
A SUCÉ LE 7 AVRIL 1983
SIGNÉ : BRIGADIER MEURDESOIF.
49

bon ben
on va te laisser
Emilie... faut
que t'as du
courage

demeurez donc encore un instan
monsieur l'abbé

j'ai
queque chose
à vous faire
voir

monsieur l'abbé je peux point
vous dire d'où a vient
mais j'ai pensé dans vous
pour la faire adopter
par des gens convenables
commes vous faites
d'habitude
au
noir

comptez sur moi
madame Radigois

a s'appelle
Monique

FIN

Épilogue

LA CARRIÈRE DE BRIGITTE LEMERCIER PREND UN TOURNANT DÉCISIF AVEC "PELICAN-PLI" DE CLAUDE ZIDI SCENARIO DE MARGUERITE YOURCENAR UN AUTEUR BIEN OUBLIÉ AUJOURD'HUI

APRÈS CET ÉCLATANT SUCCÈS LEMERCIER NE CESSERA PLUS DE TOURNER... ELLE SERA L'INNOCENTE DE "QUAND MEURT LA MER"...

... LA GILLETTE DE "AU CIEL AU CIEL AU CIEL", LA JESSY DE "CHILI TWO"

ET SURTOUT MILDRED, L'INOUBLIABLE COMTESSE CHÂTAIN DE "PINCE-MI ET PINCE-MOI"

ELLE FUT EN OUTRE L'HÉROÏNE D'INNOMBRABLES PRODUCTIONS MINEURES

production mineure lui-même !... regarde-moi ce troudac

coupe-lui la chique Mimi Pinson chéri... fais ça pour moi

Clic

Mimi Pinson tous ces producteurs et metteurs en scène sont des mauvais

quand je pense que Margot a donné le rôle de Sissi à la petite Bourriche... mais il faut une femme MÛÛÛRE pour ce rôle... une femme dans mes âges... la soixantaine

mignonne Bourriche O.K... du talent je veux bien mais 40 ans !... qu'est-ce qu'elle a eu le temps de sentir ?... ça me fait marrer

sa voix n'est même pas formée... 40 ans !... c'est la porte ouverte à n'importe quoi
qu'est-ce que tu veux que je te dise
51

trois mois que je ne fais rien
imi Pinson...
t pas un projet
n vue... mais
u'est-ce que
je vais
devenir?
Calme-toi
mon ange

tu t'en fous tu es la plus grande... alors tu les laisses venir
JE ME REPOSE!
et tu te reposes

tu n'y comprends rien toi non plus!... il faut que je tourne... il faut que je fasse quelque chose!

Brigitte ne... ne me parle pas sur ce ton... ça... ça me file des spasmes

tu sais très bien que j'ai horreur des spasmes... va donc faire un tour

SLAM

Tché pas la peine bous mettre dans un état mame Bridgitte

porque bous abez oun po dé temps potêtre tché lé momente que fa implanter botre embryonne

qué yé lé po pas fare pour bous, dépouis qué yé ou ma totale
de grâce Candida ne me parlez plus de cette totale!

cela dit ce n'est pas une mauvaise idée Candida mais tout de même... à mon âge, vous croyez... 82 ans?
ma bous êtes bien conserbée mame Bridgitte

c'est vrai Candida... et puis Dieu le sait... j'ai si follement désiré cet enfant
52

CHU
JULIO IGLESIAS
CENTRE DE TRANSFERT FOETAL
SERVICES DE
Mme le Pr ROSARIO
Mr le Pr DEDANS
Mr le Pr DEHORS
Mr le Pr AILLEURS
CONSULTATIONS
9h - 12h
14h - 18h

rentre à la maison Mimi Pinson ne reste pas là à m'attendre tu es si impressionnable... si nerveux
loui nerb hystirique ploutot

il faut que j'y aille je dois implanter Brigitte Lemercier
LA Brigitte Lemercier?

elle n'est pas un peu chenue?
tu plaisantes... j'ai une amie qui vient d'avoir un bébé superbe à 91 ans

allons-y, allons-y... star ou pas moi j'ai pas de temps à perdre

ma petite Victoria je me remets entre tes mains
j'en suis heureuse Brigitte
el professor Rosario aché Biltoria, ma fille
moi, je m'en fous hein!

voici votre éprouvette
HA!
d'ailleurs je peux vous dir moi, les pontes, ça m'impressionn pas

mon enfant!
PIIIP

mais enfin Candida j'avais bien dit qu'on ne me passe pas les communications
PIIIP

oui... mame Lémerstchi yé bais boir si lé l dé la parte dé qui?

Mimi Pinesone ?... me tcha ba pas non ... tou sais bien que tché pas le momente pétit cone
passez-le moi

bon dieu Mimi je suis occu... un telex important ? rien ne peut être plus important que mon...
qu'est-ce que tu dis ?

la suite d'Autant en Emporte le Vent ?... le rôle de Scarlett, moi ?... quoi... elle se remet avec Rhett ?...
qui fait Rhett ?

dis-leur... dis-leur que j'accepte

mame Bridgitte...

crise cardiaque foudroyante... sans doute la joie d'être mère...
eh ben comme ça c'est tout de suite fait

l'éprouvette est cassée
potêtre l'était oune Modzart

peut-être mais il est 6 heures moins 2 et moi les Mozart c'est le cadet de mes soucis
BRETECHER
54